TEXTE : GILBERT DELAHAYE
IMAGES : MARCEL MARLIER

martine
à la ferme

casterman

La collection FARANDOLE est publiée en :

Américain :	AWARD,	Londres		*Islandais :*	FJÖLVI,	Reykjavik
Anglais :	AWARD,	Londres		*Italien :*	LA SORGENTE,	Milan
Arabe :	LA PHÉNICIE,	Furn el Chebback		*Japonais :*	BOOK LOAN	Osaka
Catalan :	JUVENTUD,	Barcelone		*Macédonien :*	KULTURA,	Skoplje
Croate :	MLADOST,	Zagreb		*Néerlandais :*	CASTERMAN,	Doornik-Dronten
Espagnol :	JUVENTUD,	Barcelone		*Norvégien :*	DAMM,	Oslo
Finlandais :	OY PALETTI,	Helsinki		*Portugais :*	VERBO,	Lisbonne
Gallois :	GWASG Y DREF WEN YF,	Cardiff		*Roumain :*	TINERETULUI,	Bucarest
Grec :	PAPADOPOULOS,	Athènes		*Serbe :*	FORUM,	Novi Sad
Hébreu :	PICTURES CENTRE,	Tel Aviv		*Slovène :*	JUGOREKLAM,	Ljubljana
Indonésien :	GRAMEDIA,	Djakarta		*Turc :*	ALPAGUT YAYINEVI,	Istanbul
Irlandais :	DEPARTMENT OF EDUCATION,	Dublin				

Qu'il est amusant de cueillir des fleurs ou de jouer au ballon avec Bernadette! Mais Martine préfère encore aller à la ferme de tante Lucie. D'abord, il faut prendre la route qui traverse le champ de blé. Annie, Martine, grand-papa Louis, tout le monde a du plaisir.

— Tu n'as jamais été à la ferme? demande Martine à Annie. Non, vraiment, tu n'as jamais été?

De loin, on aperçoit la ferme.

— Clic, clac! fait le fouet de grand-père.

Hop, l'âne se met à courir et l'on arrive au grand trot au beau milieu de la cour, où le cousin Jean-Pierre attend Martine et Annie.

— Vite, vite! s'écrie-t-il. Venez par ici; je vais vous présenter vos nouveaux amis, Poussi, Pigeon, Lapin, et beaucoup d'autres encore. Ce sera si amusant!

De tous, Poussi-Poussin est le plus petit. Rond comme un œuf, jaune comme une jonquille, il va, il vient. Il perd la tête tant il y a de choses à voir autour de lui. Soudain il s'arrête : vite un grain de riz. Il repart, s'arrête encore : on est bien ici, il y a du soleil. C'est si bon ! Puis il aperçoit un lapin et se remet à courir après sa maman.

Pensez donc, cinq poussins à surveiller, qui marchent depuis deux jours à peine, et qui ne savent même pas manger tout seuls ! La maman de Poussi a beaucoup à faire. Elle vous regarde d'un œil sévère. Ce qui signifie : « Si vous touchez à Poussi-Poussin, je m'en vais vous becqueter le petit doigt. »

Mais au fond, elle a bon cœur. Ce matin, elle a pondu un œuf gros comme ça que tante Lucie a fait cuire sur le plat, et c'est Jean-Pierre qui l'a mangé.

Le papa de Poussi a une crête écarlate. Sa queue est un merveilleux panache. Il en est très fier. Si fier qu'il en a perdu le sommeil. Il réveille la basse-cour à quatre heures du matin. Tout le monde est fâché contre lui. On entend son cocorico à deux kilomètres d'ici. Oui, deux kilomètres! Comme il est très fort, personne n'ose le contredire.

Canard se couche quand tout le monde dort à poings fermés et qu'il fait noir au poulailler. Il n'a vraiment pas peur. Il a plus de chance que Poussi : du matin au soir, beau temps, mauvais temps, il joue dans la mare. Il sait nager la tête sous l'eau, la queue en l'air. Hélas! quand il court, il se plaint de son rhumatisme et il avance tout de travers.

Ma commère l'Oie n'est jamais seule ; elle craint trop de s'ennuyer. Comme elle est gourmande, elle a mangé toute sa pâtée.

Elle voudrait bien sauter sur les branches du poirier comme le papa de Poussi ou grimper sur le mur aussi bien que Moustache. Mais elle est si lourde, si lourde qu'elle doit se contenter de courir en battant des ailes. Ce qui ne l'empêche pas de crier à tue-tête : « Attention, attention, me voici ! »

Pigeon, lui, est beaucoup plus sage. Il a tellement voyagé à travers champs, à travers bois, qu'il est devenu très savant. Beaucoup plus savant que Perroquet. Perroquet répète par cœur tout ce qu'on lui dit.

Perché sur le faîte du toit, Pigeon se contente de roucouler. Pourtant, si l'on savait tout ce que Pigeon a dans la tête!

Connaissez-vous Lapin? Sûrement que oui. Eh bien, entre nous, Lapin n'est pas très malin. Ses gros yeux sont tout ronds et ses oreilles n'en finissent pas.

Lapin a quatre vilains défauts : il est toujours assis, il mange les salades du jardin, il n'a jamais fait de gymnastique (il ne sait pas sauter plus loin que le bout de son nez), il remue sans cesse le museau et cela n'est pas poli.

Quant à Mouton, rien à lui reprocher. Il ne se salit pas, il ne ment pas, il est toujours obéissant. Lorsqu'on le caresse, il bondit de joie au milieu des marguerites et il fait *bê-bê* comme tous les moutons du voisinage.

Demain, il sera grand. Le berger le conduira sur la colline, d'où l'on aperçoit, paraît-il, le plus beau pays du monde. Mouton donnera toute la laine qu'il a sur le dos. On en fera une belle couverture pour Martine et un petit bonnet pour Annie.

Qui a dit que Cochonnet est un vilain animal? Qui a dit cela? Comme il est rose, comme il est frais!

Il fait chaud, chaud. La terre sent bon sous le soleil, la paille craque, les mouches volent. C'est pourquoi Cochonnet agite ses oreilles. Elles font flic flac sur ses yeux et il a tant de plaisir qu'il grogne, qu'il grogne! Ses jambes sont trop courtes : qu'à cela ne tienne, Cochonnet est bien content tout de même.

Lolo est un curieux personnage. Il mange, il joue et il dort dans la prairie. Toute la journée il fait ce qu'il lui plaît. Il rêve à l'ombre des peupliers. Il regarde passer les trains : celui qui monte le raidillon en sifflant à tue-tête et celui qui roule la nuit, tout illuminé, le long de la rivière.

Lolo ne chante pas très bien. Par contre, il porte une robe chocolat et bientôt il aura deux cornes bien dures sur le front. C'est lui qui enfonce sa tête dans les seaux de lait et qui fait rire toute l'étable.

Noiraud est aussi rapide que le vent. Sa maman lui a dit : « Ne cours donc pas si vite ! » Mais Noiraud n'en fait qu'à sa tête. Quand il a fini de galoper, il se roule dans l'herbe touffue de la pâture.

Plus tard, il fera claquer ses sabots sur le pavé de la grand-route. On l'attellera à la charrue de Jean-Pierre et il tirera la faucheuse à travers les carrés d'avoine. Ce qui n'est pas peu de chose.

Moustache, il faut l'avouer tout de suite, est très gourmand. Hier encore, il est entré dans la laiterie sans rien dire à personne. Il faut le voir se mettre en colère. C'est un mauvais caractère. Parfois, lorsqu'il est fâché, il grimpe dans le cerisier et il reste là pendant des heures. Heureusement, il a croqué le rat du grenier et les trois souris qui grignotaient le plancher de la chambre.

Médor est le meilleur ami de Jean-Pierre. De tous les animaux, c'est lui le plus brave. Le jour, il met le museau à la barrière. La nuit, il ne dort que d'un œil. Médor protège la basse-cour.

Il donne la patte quand on la lui demande. Il comprend tout ce qu'on lui dit. N'est-ce pas merveilleux d'avoir un tel ami à la ferme?

Mais bientôt tante Lucie appelle les enfants pour le goûter. Quelle surprise : on a mis sur la table le pain bis, le beurre frais, les assiettes et la bouteille de cidre avec son bouchon gros comme un champignon. Sans oublier les confitures aux groseilles qui sentent si bon.

— Voici un sucre, dit Martine à Médor. Et toi, Moustache, tu auras quatre doigts de lait.

Vraiment, c'est une belle journée qui s'achève. Oncle Jules, tante Lucie et Jean-Pierre sont venus jusqu'à la barrière qui s'ouvre sur la route.

On s'embrasse bien fort. La moustache de l'oncle Jules pique. Tante Lucie sort de sa poche deux bâtons de chocolat.

— Vite, grimpons sur la barrière, se dit Jean-Pierre.

— Au revoir à tous nos amis de la ferme, crie Martine. Et surtout, dites-leur que nous reviendrons dimanche.

Imprimé en Belgique par Casterman, s.a., Tournai, mai 1985. N° édit.-impr. 1952. Dépôt légal: 4ᵉ trimestre 1954; D. 1985/0053/193.
Déposé au Ministère de la Justice, Paris (loi n° 49.956 du 16 juillet 1949 sur les publications destinées à la jeunesse).